cottin
menena

DOBLE
DOBLE

a isabel y lucía
a pablo y diego

EDICIONES TECOLOTE

fin

principio

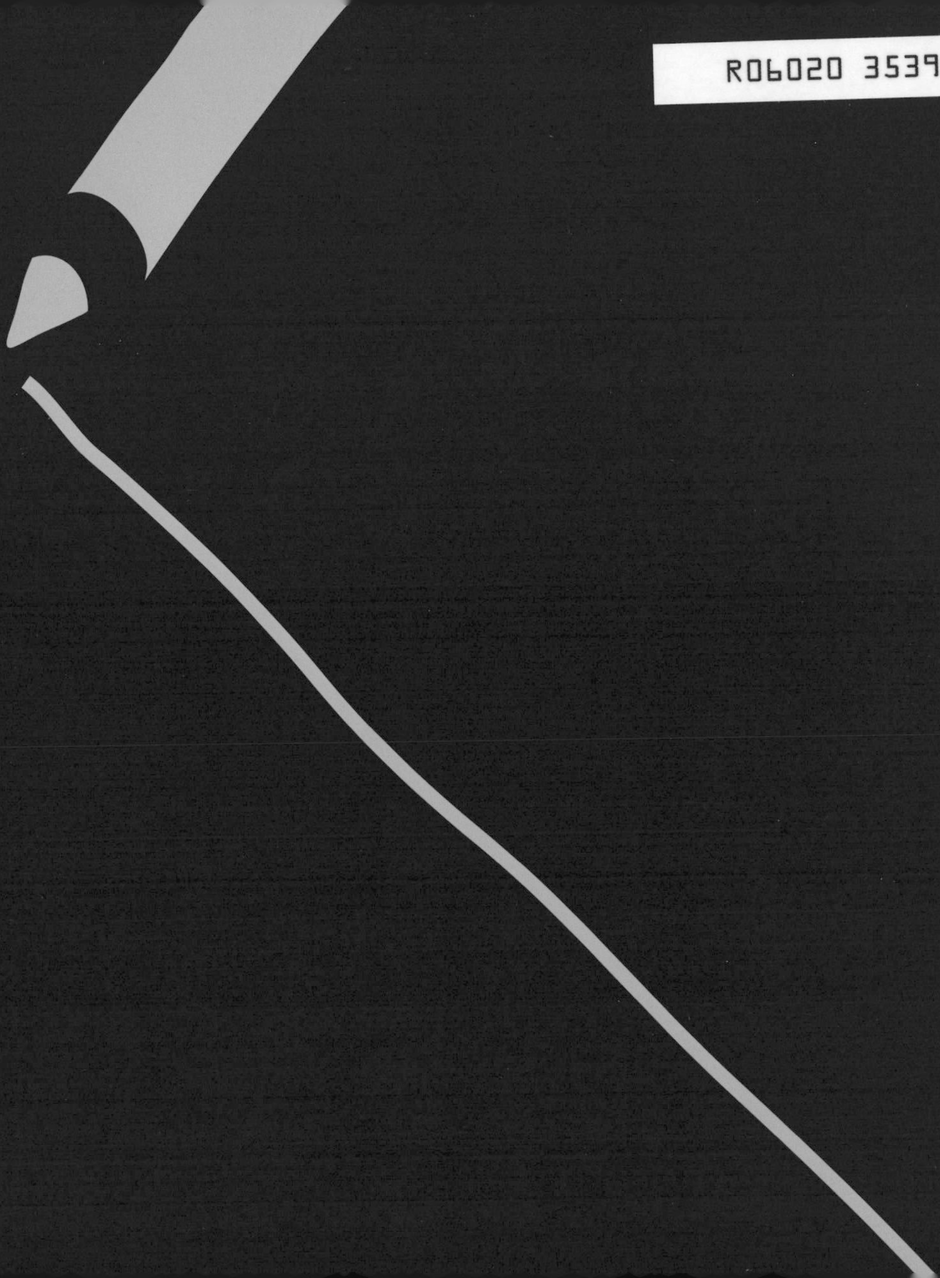

04:40

01:01

abajo

arriba

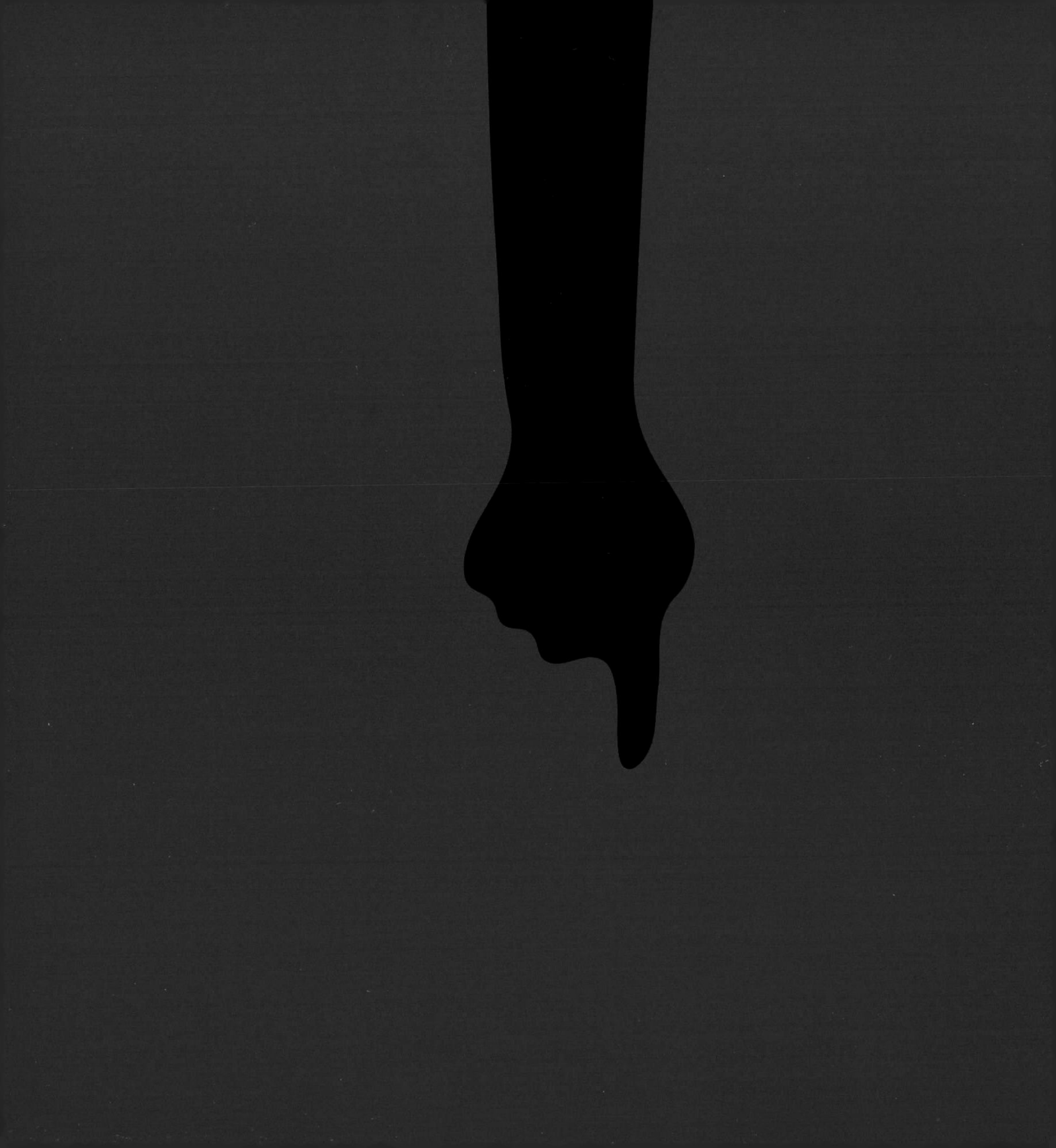

derecha

izquierda

bajar

subir

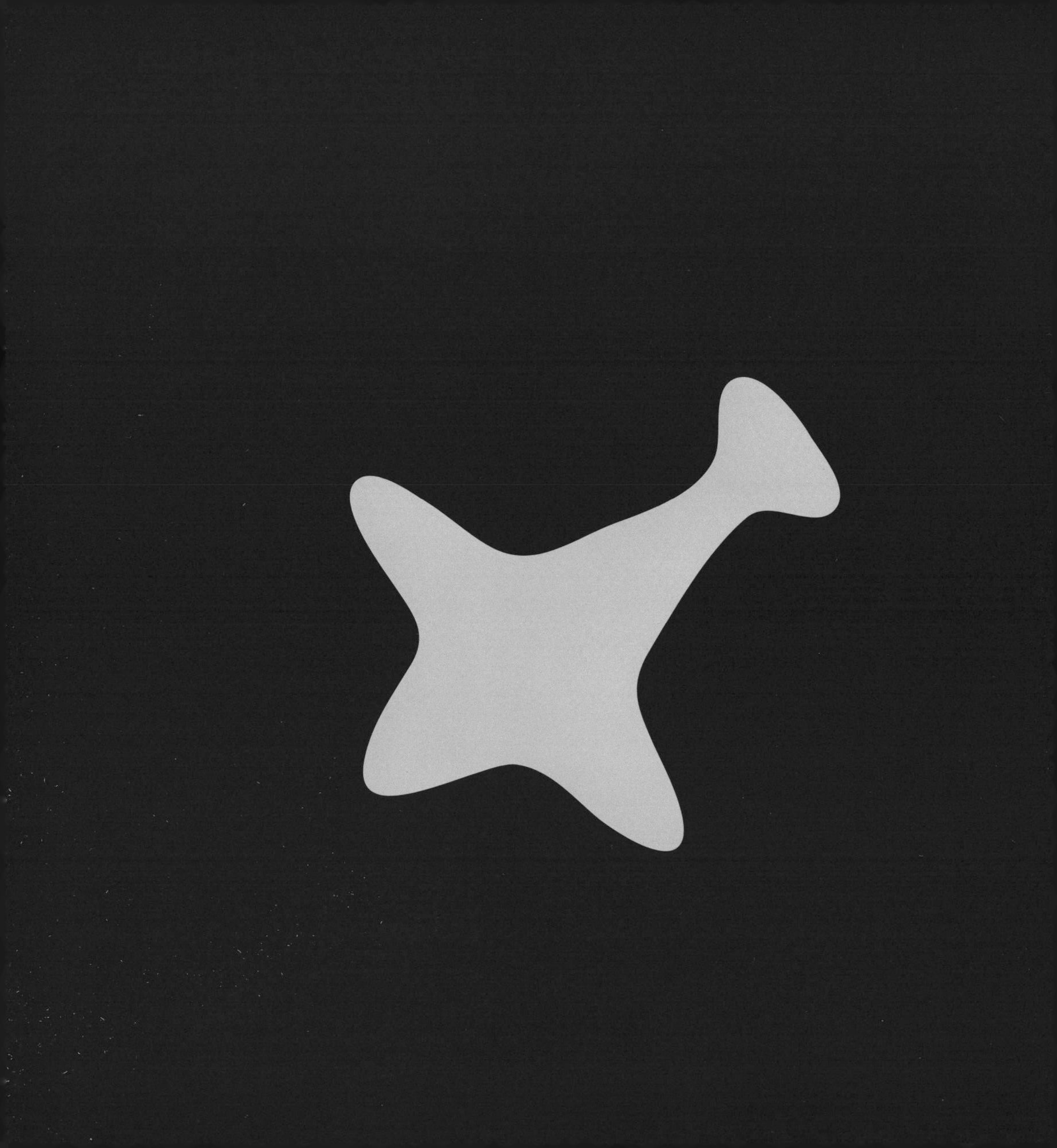

hundir

flotar

escapar

atrapar

otoño

primavera

invierno

verano

cerrar

abrir

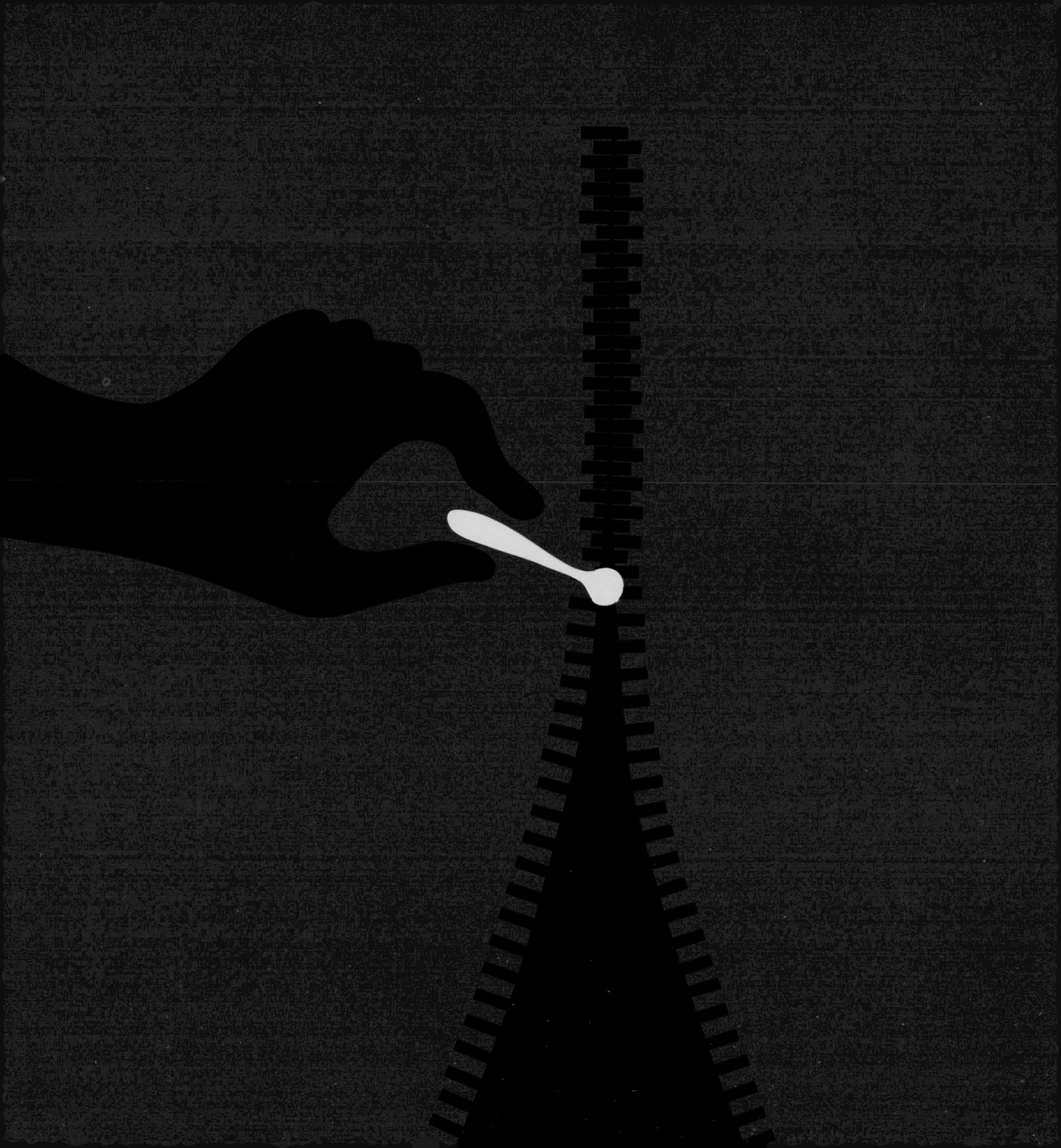

quitar

poner

recibir

dar

encima

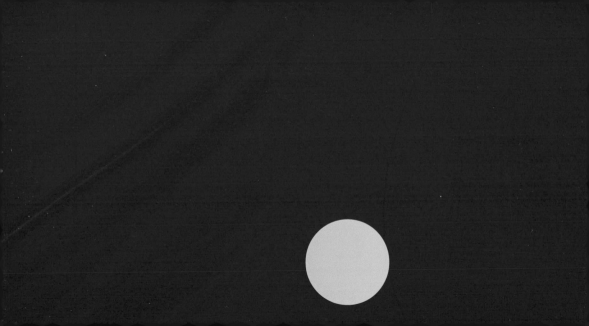

acercar

alejar

comenzar

terminar

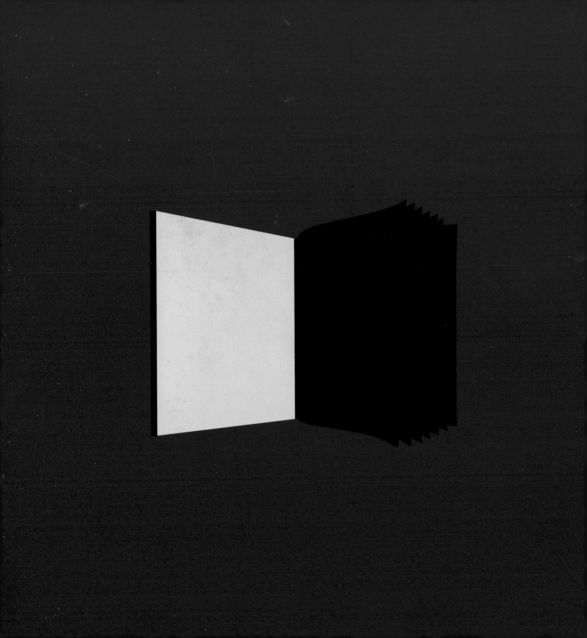